D0504423

Wat je moet weten over

Alcohol

Sean Connolly

Oorspronkelijke titel Alcohol

Productie De Laude Scriptorum BV, Harmelen, NL
Vertaling T. Dijkhof
Zetwerk Intertext, Antwerpen, België

ISBN 90-5495-445-0

Voor vragen over de uitgaven van Ars Scribendi BV kunt u zich wenden tot de uitgever: Postbus 65, 3480 DB Harmelen, of onze website raadplegen: www.arsscribendi.com. De uitgever houdt zich niet verantwoordelijk voor fouten of misvattingen.

Illustratieverantwoording
De uitgevers danken de volgende personen en instellingen voor hun toestemming voor het gebruik van foto's:
Allsport: pag. 23, 34; Bubbles: pag. 48; Gareth Boden: pag. 5, 11, 13, 26, 51; Impact: pag. 6, 20, Martin Black pag. 17, Chris Moyse pag. 31, Piers Cavendish pag. 37; Mary Evans Picture Library: pag. 18, 21; Network: pag. 9, 39, Barry Lewis pag. 16, Homer Sykes pag. 46; Photofusion: pag. 15, 27, 29, 33, 35, 44, John Phillips pag. 10, Paul Baldesare pag. 22, 32, Steve Eason pag. 47; Rex Features: pag. 7, 25, 40, 41, 43; Science Photo Library: pag. 12.
Foto omslag: Tony Stone.

Vetgedrukte woorden worden uitgelegd in de Verklarende Woordenlijst op pag. 54.

Inhoud

Inleiding

Alcohol is in de meeste westerse landen de meest gebruikte drug. Het maakt onderdeel uit van de samenleving, en de consumptie van alcohol gebeurt bijna onopgemerkt bij bijna elke soort bijeenkomst – van huwelijken en verjaardagen tot de viering van overwinningen en zelfs bij godsdienstige ceremonies en begrafenissen. Voor veel mensen betekent het eerste alcoholische drankje het begin van de volwassenheid: jonge mensen worden verleid er mee te experimenteren en zelfs om het regelmatig te drinken.

Een krachtige drug

Alcohol is een krachtige drug, gebaseerd op een chemische stof die de hersenactiviteit binnen enkele minuten kan beïnvloeden en blijvende effecten kan hebben. Deze veranderingen in de hersenen lijken plezierig in matige hoeveelheid, omdat ze een gevoel van zelfvertrouwen en ontspanning geven. Er is echter maar een dunne scheidslijn tussen deze 'gelukzalige' staat en die van '**beneveld**', waarin het beoordelingsvermogen van de drinker en zijn fysieke coördinatie ernstig verstoord raken.

Op dezelfde wijze is het moeilijk onderscheid te maken tussen het regelmatig drinken van wat matige hoeveelheden lijken – na het werk of bij het eten of bij de televisie – met wat geleidelijk kan ontaarden in een **afhankelijkheid** van alcohol. Een dergelijke afhankelijkheid, gewoonlijk **alcoholisme** genoemd, is een ernstig probleem voor de drinker en voor zijn of haar gezin.

Een goede balans

In sommige samenlevingen is alcohol verboden vanwege godsdienstige of andere morele bezwaren. In andere worden zware belastingen geheven of zijn er bepaalde restricties op de verkoop en het gebruik van alcohol. Deze acties zijn een antwoord op de bekende negatieve neveneffecten van alcohol. Maar waarschijnlijk wonen de meeste lezers van dit boek in een gebied waar alcohol vrij verkrijgbaar is voor degenen die oud genoeg zijn om het te kopen. Er staan maar weinig obstakels in de weg om 'bezopen' te worden, 'een stuk in de kraag' te krijgen of 'kachel' te worden, of een van die andere uitdrukkingen die we hebben voor dronkenschap. Deze vrijheid geeft ook een onthullend beeld van de effecten van de drug, hoe het levens kan verwoesten als het overmatig wordt gebruikt, en hoe het kan bijdragen aan de genoegens van elke dag als het met mate wordt genomen.

Nadat je dit boek gelezen hebt zul je hopelijk in staat zijn je eigen oordeel te vormen over alcohol en verantwoorde besluiten te nemen voor jezelf.

Wat is alcohol?

Alcohol is een drug die iemands gedrag op de korte termijn beïnvloedt en blijvende effecten kan hebben als het gedurende lange tijd in grote hoeveelheden wordt gebruikt. De meeste mensen gebruiken alcohol in een grote verscheidenheid aan alcoholische dranken, die voornamelijk bestaan uit op smaak gebracht water en **pure alcohol**. De pure alcohol, ofwel het **alcoholpercentage** in een drankje dat de hersenen beïnvloedt, en de hoeveelheid alcohol in een drankje geeft aan hoe **sterk** het is. Zo bestaat het gewone bier, pils, uit ongeveer een deel pure alcohol op twintig delen water. Sterkere dranken bevatten overeenkomstig hogere concentraties alcohol: vergeleken met bier bevat wijn tweeëneenhalf keer zoveel alcohol en sterke dranken als whisky en wodka bevatten bijna tien maal zoveel alcohol.

Het distillatieproces vindt vaak plaats op grote schaal, maar het vereist grote zorgvuldigheid om een constant resultaat te bereiken.

Pure alcohol wordt op verschillende manieren geproduceerd. Alcoholische dranken als wijn en bier worden geproduceerd door **fermentatie** of **brouwen**, waarbij een deel van de suiker in het vruchtensap of de granen geleidelijk in alcohol veranderen. De hogere concentraties alcohol in sterke dranken kunnen alleen bereikt worden door een speciaal chemisch proces, **distillatie**.

Alcohol in het bloed

Het exacte **fysiologische** kenmerk hoe alcohol mensen beïnvloedt is complex. Toevoeging van meerdere chemicaliën kan de effecten versterken. In de verschillende gemengde dranken worden verschillende hoeveelheden alcohol gemengd met water. Dit heeft effect op de hoeveelheid alcohol in het bloed – een hoeveelheid die meestal wordt omschreven als het bloedalcoholgehalte. Als iemand steeds meer alcohol drinkt stijgt het bloedalcoholgehalte en worden de effecten steeds sterker en sneller. Zelfs een heel kleine hoeveelheid alcohol tast al het vermogen van de hersenen aan om zich te concentreren, te reageren en beoordelingen te maken. Grotere hoeveelheden tasten ernstig het vermogen aan om bepaalde dingen te doen, zoals een voertuig besturen.

Andere factoren – evenals verbonden met dit chemische proces – spelen een rol bij het besluiten in welke mate en hoe snel iemand wordt beïnvloed door alcohol. Vrouwen worden bijvoorbeeld gewoonlijk sneller beïnvloed omdat hun lichaam per kilo lichaamsgewicht minder water bevat dan dat van een man. Als er minder water is om dezelfde hoeveelheid alcohol te verdunnen zal de alcoholconcentratie hoger zijn. Soms beweren mensen dat een heel gespierd of zwaarlijvig iemand goed tegen drank kan, omdat de alcohol minder effect op hen lijkt te hebben. In feite absorbeert de extra spier- of vetmassa een deel van de alcohol, waardoor de concentratie in het bloed lager is.

De consumptie van alcohol

Alcoholische drankjes worden gedronken bij een groot aantal gelegenheden – meestal in sociale context. Het vermogen van alcohol om de 'tong los te maken' wordt bij een feestje als een voordeel gezien, bijvoorbeeld omdat sommige mensen anders te verlegen zijn om veel te zeggen. Door het op deze manier loslaten van **remmingen** zijn mensen soms ook eerder bereid uitdagingen aan te nemen of dingen te proberen die ze anders niet durven. Zo kan bijvoorbeeld een acteur een alcoholisch drankje nemen voor een optreden om zijn plankenkoorts te overwinnen. Het op deze manier ondersteunen van het zelfvertrouwen wordt wel 'jenevermoed' genoemd. In veel samenlevingen wordt een matig gebruik van alcohol geaccepteerd – of zelfs verwacht – maar er is een dunne scheidslijn tussen het gebruik van alcohol ter ontspanning en een paar glazen te veel. Het verlies van coördinatie dat optreedt na verscheidene drankjes – gekoppeld aan het valse vertrouwen dat de alcohol teweegbrengt – kan vreselijke gevolgen hebben, en veel misdaden en ongevallen met dodelijke afloop staan in verband met overmatig drinken. Bij ongevallen in het verkeer raken jaarlijks meer dan 1.000 mensen gewond, en zijn meer dan 100 doden te betreuren.

Het effect van alcohol

De alcohol in een drankje wordt via de dunne darm snel opgenomen in het bloed. Eenmaal in de bloedstroom volgt de alcohol dezelfde route als het bloed zelf. Omdat een groot deel van het bloed voortdurend door het hoofd wordt gepompt, vindt de alcohol makkelijk zijn weg naar dat deel van het lichaam waar het het snelst effect heeft. Het kan de hersenen al bereiken binnen vijf minuten nadat het drankje gedronken is. Vette stoffen in de hersenen absorberen de alcohol effectief en de alcohol begint al snel zijn werk te doen. De korte-termijneffecten zijn bij de meeste mensen hetzelfde. Alcohol is een **kalmerende drug**, en daarom verminderen zorgen en zorgt het voor ontspanning.

De grote verscheidenheid aan alcoholische drankjes haakt in op de grote verscheidenheid aan smaken onder het publiek.

Na een paar drankjes raakt iemand steeds meer ontspannen en wordt meestal spraakzamer. Na nog meer alcohol begint de drinker echter onduidelijker te praten en zijn de bewegingen minder gecoördineerd. Dit proces neemt toe naarmate er meer alcohol wordt geconsumeerd, totdat de drinker 'dubbel' begint te zien en misselijk wordt. Sommige mensen vallen flauw op dit punt, maar grotere doses kunnen leiden tot ernstiger complicaties als bewusteloosheid, blindheid, vergiftiging en zelfs de dood.

De eenheden

Deskundigen meten de hoeveelheid alcohol in eenheden. Deze eenheden worden uitgedrukt in glazen. Bier bevat ongeveer 5% alcohol, wijn ongeveer 12%. Met het nuttigen van een glas bier krijg je echter evenveel alcohol binnen als met een glas wijn, simpelweg omdat er meer in het glas zit. Ter verduidelijking:

- een glas bier bevat 12,5 cc pure alcohol
- een glas wijn bevat 12 cc pure alcohol
- een glas jenever bevat 12,25 cc pure alcohol

Deskundigen raden het drinken van meer dan 21 eenheden per week voor mannen en 14 eenheden voor vrouwen af. Deze hoeveelheden zouden verspreid moeten zijn. Het dagelijks drinken van drie of meer eenheden kan schadelijk zijn.

Verslaving aan alcohol

De meeste mensen kennen de term 'alcoholist', hoewel er grote onbekendheid is rond zowel de term als het gebruik ervan. Het woord wordt vaak grappig gebruikt als iemand een drankje te veel op heeft, of als iemand voorstelt om iets te gaan drinken. Helaas is **alcoholisme** absoluut niet grappig; het is een ziekte waardoor velen worden getroffen en die pijnlijke gevolgen heeft voor hun vrienden en familie. De problemen lopen uiteen van financiële problemen en problemen op het werk, tot aan geweld, echtscheiding en een grote verscheidenheid aan gezondheidsproblemen. Langdurig overmatig alcoholgebruik kan direct en indirect leiden tot de dood.

Een kwestie van tolerantie?

Het probleem van alcoholisme heeft niet zozeer te maken met de acceptatie van drinken door de samenleving als wel met de fysieke **tolerantie** van een drinker op de effecten van alcohol. Simpel gezegd produceert eenzelfde hoeveelheid alcohol na een periode van langdurig drinken minder effect dan het in het begin deed. De drinker drinkt meer alcohol om datzelfde effect te bereiken.

De lever is een vitaal orgaan dat giftige stoffen en afvalstoffen uit het bloed filtert. Overmatig drinken kan leiden tot levercirrose, een aandoening waarbij gezonde cellen zijn vervangen door littekenweefsel.

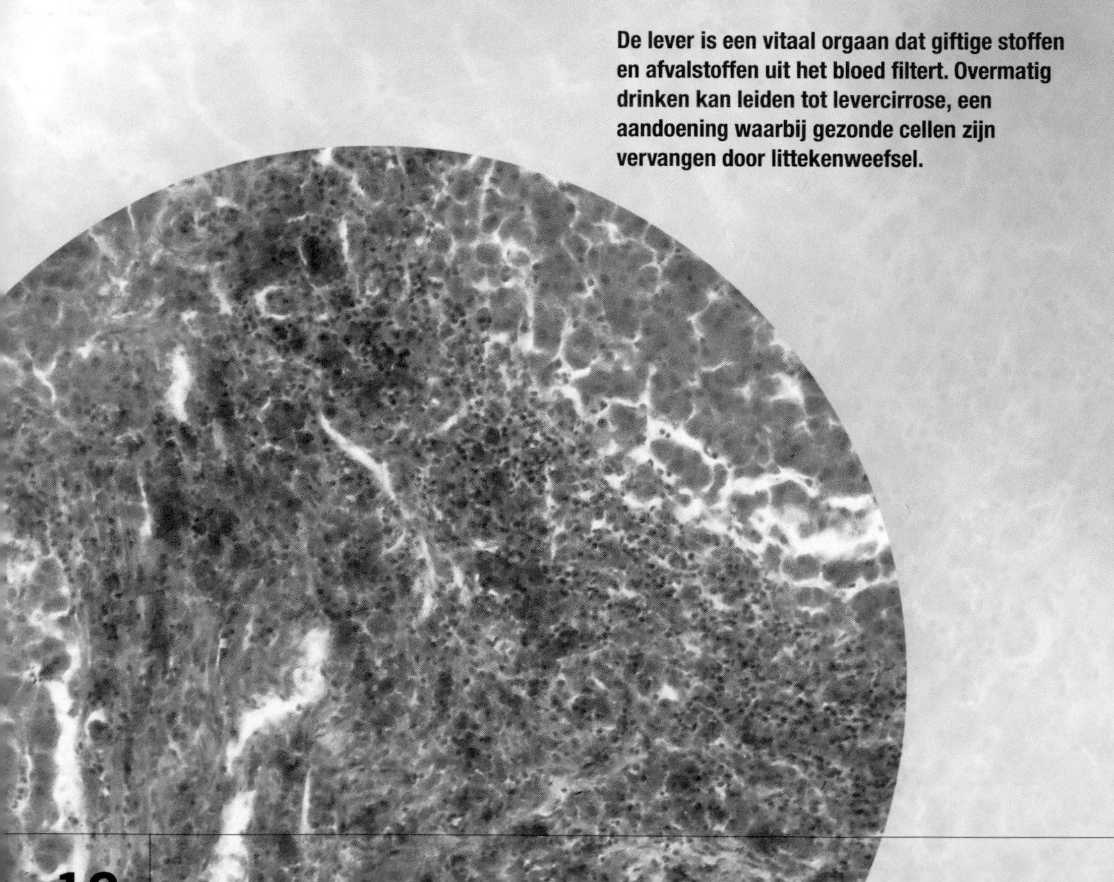

De hersenen raken aangetast als de hoeveelheid alcohol die wordt geconsumeerd toeneemt, omdat de drinker dezelfde 'roes' wil ondergaan. De drinker bouwt geleidelijk aan een zekere mate van afhankelijkheid op, met zowel een fysieke als een psychologische behoefte aan alcohol.

Een van de gevaren van alcohol is dat dergelijke veranderingen vaak niet duidelijk waarneembaar zijn. Iemand die een tolerantie heeft opgebouwd lijkt misschien niet dronken, ook al heeft hij een grote hoeveelheid alcohol geconsumeerd. Ze lijken nog steeds in staat behoorlijk te functioneren en lijken volledig de controle over zichzelf te hebben. Maar hoewel de alcoholische effecten op de hersenen die de 'roes' veroorzaken verminderd zijn, nemen de effecten die **giftig** zijn voor de hersencellen zelf toe naarmate de hoeveelheden die gedronken worden groter worden. Soms komen die effecten pas aan het licht als die persoon ernstige problemen krijgt met zijn gezondheid, zoals levercirrose. Anderen komen tot de ontdekking dat ze fysiek afhankelijk zijn als ze om de een of andere reden niet kunnen drinken. Een dergelijk plotseling stoppen met drinken kan leiden tot **ontwenningsverschijnselen** als rusteloosheid, slapeloosheid, slechte eetlust, trillen, en zelfs **hallucinaties**.

Verslaving aan alcohol

Psychologische effecten

Fysieke afhankelijkheid van alcohol is niet het enige probleem. Zware drinkers kunnen ook psychologische afhankelijkheid ontwikkelen, die de geest aantast. De hersenen regeren op de prikkeling van alcohol en beginnen het nodig te hebben. De drinker snakt naar alcohol vanwege de psychologische effecten, zoals verlichting van angstgevoelens of extra zelfvertrouwen. Er kan zich zelfs een vorm van psychologische afhankelijkheid ontwikkelen bij iemand die geen symptomen van fysieke afhankelijkheid heeft ontwikkeld. De psychologische afhankelijkheid kan verbonden zijn met drinken op bepaalde momenten of bij bepaalde gelegenheden – bijvoorbeeld op een feest of bij een sportevenement. Als ze geen alcohol tot hun beschikking hebben kunnen mensen die psychologisch afhankelijk zijn angstgevoelens of paniekaanvallen krijgen.

Een gezinsprobleem

Iemands verslaving aan alcohol brengt een schok teweeg in de rest van het gezin. Behalve de zorg om de gezondheid van de drinker en andere problemen die met het drinken zijn verbonden- zoals dronken achter het stuur, geweld, en gebrek aan beoordelingsvermogen – leeft het gezin onder grote spanning. Zware drinkers lopen de kans hun baan te verliezen en de hoge kosten van het drinken zelf leggen een zware druk op het gezinsbudget.

Geërfd risico

Het gezin is ook het middelpunt van een ander probleem. Er zijn duidelijke bewijzen dat alcoholisme in families voorkomt. Het lijkt nu bewezen dat de basis van afhankelijkheid van alcohol deels **genetisch** is. Geschat wordt dat naaste familieleden van alcoholici – kinderen, broers en zussen – een zeven maal grotere kans hebben alcoholisme te ontwikkelen dan anderen. Het is niet onvermijdelijk dat ze alcoholafhankelijk zullen worden, maar als ze het risico kennen kunnen ze hun eigen drinkgedrag beter volgen en in de gaten houden.

Een belangrijk onderscheid

De meeste mensen die te maken hebben met alcoholontwenning maken een onderscheid tussen alcoholmisbruik en alcoholafhankelijkheid. Alcoholmisbruik verwijst, net als de term 'drugsmisbruik', naar een drinkpatroon dat leidt tot persoonlijke problemen en gezondheidsproblemen. Afhankelijkheid verwijst naar het abnormale smachten naar alcohol – fysiek en psychologisch – dat er de oorzaak van is dat mensen drinken zelfs als ze weten dat hun drinken een ernstig probleem aan het worden is. Het is deze alcoholafhankelijkheid die meestal alcoholisme wordt genoemd.

‘Ik neem aan dat ik me had moeten realiseren dat ik een probleem had toen het mijn beurt was om naar de bar te gaan om een rondje te bestellen voor onze tafel. Ik bestelde een extra biertje voor mezelf en dronk dat op voordat ik met de drankjes terugging naar mijn vrienden. Anders was dat ene pilsje van het rondje al lang op geweest voordat de anderen op de helft waren.’

(Steven, een administratief medewerker die geen alcohol meer drinkt)

Alcohol in de samenleving

In de meeste samenlevingen ter wereld, en in Westerse samenlevingen in het bijzonder, is alcohol de 'drug van de vrije keus'. Behalve enkele leeftijdsrestricties en restricties met betrekking tot deelname aan het verkeer zijn er maar weinig beperkingen aan het gebruik. Er zijn vele redenen voor dit wijdverspreide gebruik. Het gemakkelijkst te begrijpen is de sociale functie van alcohol. Algemeen wordt aangenomen dat alcohol goede tijden nog beter maakt en mensen door slechte tijden heen helpt.

Mensen gebruiken alcohol om successen te vieren, om verdriet en tegenslag te verzachten, en om speciale gebeurtenissen te markeren, zoals huwelijken of het behalen van een diploma. Bij veel godsdiensten, zoals het jodendom en vele christelijke godsdiensten – speelt alcohol een symbolische rol en wordt het gebruikt bij bepaalde diensten.

Het dagelijks leven

Veel mensen hebben een verscheidenheid aan dranken in huis, een gevuld wijnrek en verschillende flesjes bier in de koelkast – voor persoonlijk gebruik thuis. Deze sociale rol die alcohol speelt maakt het zo verschillend van de meeste andere drugs. Mensen drinken graag in groepen en de maatschappij speelt daarop in. Er zijn in elke plaats wel bars of cafeetjes. Bovendien wordt natuurlijk alcohol geschonken in restaurants, en ook in sportkantines.

De reclame, waarin het ontspannende effect van alcohol wordt benadrukt, speelt een belangrijke rol in het hoog houden en doen toenemen van de cijfers. Door de reclame, en door het denkbeeld dat het drinken van alcohol 'volwassen' is, drinken jongeren veel meer dan ouderen. Andere beelden, bijvoorbeeld uit de sportwereld waarbij de winnaar zichzelf en anderen besproeit met champagne, zenden signalen uit dat alcohol verbonden is met succes. Ook worden jongeren door verveling en door de uitdaging aangetrokken door alcohol. Als gevolg daarvan drinken jongeren 40 tot 50 procent meer dan het gemiddelde.

Drinken onder jongeren

In Nederland mag aan personen onder de 16 jaar geen bier en wijn worden verkocht. De leeftijdsgrens voor sterke drank is 18 jaar. Maar veel jongeren in de leeftijd van 13 tot 16 jaar drinken al regelmatig alcohol op feestjes, in de sportkantine en vaak ook thuis. Bovendien hebben recente steekproeven uitgewezen dat kinderen van 13 jaar vrij eenvoudig drank konden aanschaffen zonder dat er naar leeftijd werd gevraagd.

Een lange geschiedenis

Romeinse geschiedkundigen schreven over feesten en banketten waar mensen wijn bleven drinken tot ze misselijk werden of flauw vielen.

De geschiedenis van alcoholische dranken gaat al vele duizenden jaren terug. Er worden al alcoholische dranken genoemd in geschriften van de eerste beschavingen. Druiven groeien in het wild in wat we nu het Midden-Oosten noemen, en de mensen daar merkten hoe het druivensap **fermenteerde** waardoor het wijn werd.

Archeologen denken dat de eerste gecultiveerde **wijngaarden** tussen 6.000 en 4.000 v. Chr. ontstonden in het gebied van de Kaukasus (nabij het huidige Georgië en Armenië).

De techniek van de wijnbouw en de gisting, en ook die van het brouwen van bier, verspreidde zich door het hele Midden-Oosten en raakte vast verankerd in de samenlevingen van het oude Mesopotamië en Egypte.

Het begin

De oude Grieken begonnen met wat genoemd zou kunnen worden de 'alcoholindustrie' door hun wijnen te fermenteren in met hars beklede vaten, en vervolgens de wijn te filteren in vaten van klei voor de export. De Romeinen volgden het Griekse voorbeeld en plantten wijngaarden aan in hun hele rijk, als tenminste de grond en het klimaat daarvoor geschikt waren.
De val van het Romeinse Rijk in de vijfde eeuw na Christus betekende een tijdelijk einde aan de wijdverspreide aanleg van wijngaarden. De Europeanen produceerden nog wel wijn, maar de kwaliteit was achteruit gegaan en de meeste wijn werd gebruikt bij godsdienstige ceremonies. Bier bleef onverminderd populair, evenals dranken als mede (gemaakt van gefermenteerde honing).

De grootste ontwikkeling was de ontdekking van **distillatie**. Door dit proces wordt de hoeveelheid alcohol in een drank geconcentreerd en worden vele onplezierig smakende onzuiverheden verwijderd. Het distilleerproces werd al lang gebruikt in Oost-Azië, maar het waren de Arabieren die het bekendheid gaven in het Midden-Oosten en Europa. De eerste die in geschreven verslagen het distilleren noemde was Abul Kasim, een Arabische arts uit de 10de eeuw. In de daaropvolgende eeuw leerden de Europeanen de techniek en de leren, spoedig gevolgd door de Schotten, distilleerden granen om hun eerste whisky's te maken.

Toen de Middeleeuwen werden gevolgd door de **Renaissance** was de kiem van de hedendaagse drinkgewoonten in Europa gelegd. Uit zuidelijke landen kwamen weer wijnen van goede kwaliteit terwijl de Noord-Europeanen zich hadden bekwaamd in het brouwen van diverse soorten bier. De Oost-Europeanen distilleerden en dronken wodka. Al deze dranken werden verkocht in cafés, bars, taveernes en herbergen, en zijn nu in de meeste landen verweven met het sociale leven.

Sterker en goedkoper

In de achttiende eeuw deed zich in Groot-Brittannië een grote verandering voor toen gin werd geïntroduceerd. Gin is een sterke drank, net als whisky of wodka, maar in die tijd was gin veel makkelijker en goedkoper te produceren, en het hoefde niet lange tijd opgelegd te worden voordat het kon worden gedronken. Als gevolg daarvan leken grote hoeveelheden gin de markt in Britse steden te overspoelen, en het aantal dronkenschappen nam toe. Het gezegde luidde in die tijd dat je dronken kon worden voor een dubbeltje en je dood kon drinken voor een kwartje.

Een lange geschiedenis

Drankbestrijding

De eerste organisaties voor preventieve drankbestrijding dateren uit het eind van de 18de en de eerste helft van de 19de eeuw. Ze waren afkomstig uit de Angelsaksische landen en waren een reactie van voornamelijk de gegoede burgerij op het toentertijd ontstellende drankmisbruik. In de Verenigde Staten werd in 1920 een algemeen drankverbod van kracht, dat tot 1933 heeft bestaan, de zogenaamde **drooglegging**. De daadwerkelijke naleving ervan liet steeds meer te wensen over, o.a doordat controle op clandestiene productie, smokkelinvoer en illegale verkoop praktisch onmogelijk bleek. In sommige landen (zoals Finland, Zweden en Noorwegen nadat daar het alcoholverbod was opgeheven) is de verkoop per fles van de belangrijkste alcoholhoudende dranken in handen gegeven van een staatsmonopolie om zo het winstbejag van de handel als verkoopstimulerende factor uit te schakelen.

In Nederland wordt een boekje onder de titel *Het Morgenslokjen*, in 1804 uitgegeven door de Maatschappij tot Nut van het Algemeen, beschouwd als het eerste teken van doelbewuste drankbestrijding. In de jaren dertig van de 19de eeuw ontstonden de eerste matigheidsgenootschappen, die matiging van het drankgebruik nastreefden. In de eerste decennia van de 20ste eeuw bereikte de drankbestrijding haar hoogtepunt. Het aantal organisaties breidde zich nog steeds gestaag uit en nagenoeg alle belangrijke maatschappelijke organisaties en godsdienstige 'zuilen' onderschreven het belang van alcoholmatiging of geheelonthouding. Het drankgebruik daalde fors en was in de jaren dertig lager dan ooit. Na de Tweede Wereldoorlog steeg het drankgebruik weer snel tot ongeveer het niveau van eind 19de eeuw. De traditionele drankbestrijdingsorganisaties konden echter geen centrale rol meer spelen. Hun werk werd overgenomen door o.a. de preventieafdelingen van de Consultatiebureaus voor Alcohol en Drugs, nu Instellingen voor Ambulante Verslavingszorg geheten. Voorlichting wordt verzorgd door het bureau Alcohol Voorlichting en Preventie, een onderdeel van het Nationaal Instituut voor Gezondheidsbevordering en Ziektepreventie (NIGZ).

Anti-alcoholbewegingen, vaak geleid door vrouwen, hielden in de negentiende eeuw dikwijls protestacties bij pubs en cafés.

'Levenswater'

Het belang dat gehecht werd aan alcohol kan men terugzien in de namen die verschillende culturen gaven aan hun favoriete sterke dranken. In de Middeleeuwen, toen er door velen nog Latijn werd gesproken, was de term voor sterke dranken *aqua vitae*, dat 'levenswater' betekent. In verschillende talen komt een gelijkwaardige term voor – wodka betekent 'klein watertje' in het Russisch, en whisky komt van het Schotse woord *uisge beatha*, dat ook 'levenswater' betekent.

Wie drinkt alcohol?

In veel landen – vooral in landen waar het grootste deel van de bevolking moslim is, is de consumptie van alcoholhoudende dranken ofwel verboden ofwel streng aan banden gelegd. Godsdienstige verwerping heeft traditioneel ook geleid tot plaatselijke restricties op de verkoop in delen van Scandinavië, Wales en Schotland. In dergelijke gebieden wordt zelfs een milde vorm van dronkenschap beschouwd als een belediging van de plaatselijke bevolking.

Elders maakt alcohol echter deel uit van het dagelijks leven van vele mensen. Zo drinkt bijvoorbeeld meer dan 90 procent van de volwassen Britse bevolking regelmatig alcohol. In de meeste landen drinken mannen gemiddeld meer en vaker alcoholhoudende dranken dan vrouwen.

Alcoholgebruik van jongeren

De meeste volwassenen drinken in sociaal verband – bij feestjes, met een groepje in een café, bij een etentje of bij speciale gelegenheden als huwelijken. Verder is het opvallend dat de meeste alcohol door volwassenen in en om het eigen huis wordt genuttigd – thuis, en bij familie, vrienden en kennissen. Vroeger lag dat anders. Veel mannen gingen aan het eind van de week na hun werk naar de kroeg om met elkaar wat te drinken, vrouwen waren daar bijna niet aanwezig.

Tegenwoordig zien we in de cafés veel paren en groepjes. Veelal zijn dat jongeren.

De jongeren drinken bij zulke gelegenheden vaak meer dan volwassenen. Vooral in het weekend vinden jongeren het normaal grote aantallen glazen bier achterover te slaan. Bovendien zijn er voor jongeren allerlei nieuwe dranken op de markt gekomen die opvallend goed aanslaan, zoals de pre-mixen en shooters, die kennelijk goed aansluiten bij de leefstijl van jongeren. Nieuw zijn ook de **alcopops**, die eruit zien en smaken als frisdranken maar vaak een hoger alcoholgehalte hebben dan allerlei biersoorten.

Jong gedaan...

De drinkgewoonten die jongeren ontwikkelen houden ze vaak hun hele leven. Herhaald buitensporig drinken kan het pad effenen voor 'probleemdrinken' en naar alcoholisme in latere jaren. Een verstandige benadering van het alcoholgebruik kan er echter toe leiden dat iemand een gematigd drinkpatroon ontwikkelt dat hij of zij de rest van zijn leven houdt. En er is een belangrijke reden om buitensporig alcoholgebruik te vermijden: jongeren hebben een helder verstand nodig om zich te kunnen concentreren op hun studie en zich voor te bereiden op een latere carrière.

Het is in de racewereld gebruikelijk dat de winnaars zichzelf en anderen besproeien met champagne.

Het leven van een drinker

Omdat de meeste volwassenen regelmatig alcohol drinken – en meestal zonder blijvende slechte gevolgen of afhankelijkheid – lijkt het misleidend zich te richten op een bepaalde persoon. Maar het is een ander verhaal als het gaat over iemand die buitensporig veel drinkt. Verschillen in maatschappelijke achtergrond, inkomen, voorkeur voor bepaalde muziek en zelfs de persoonlijkheid reduceren als alcohol in toenemende mate belangrijk wordt in hun leven.

De volgende morgen

Voor de meeste zware drinkers begint de dag met een **kater**. Plotselinge bewegingen, scherpe geluiden en ook eten kunnen de hoofdpijn aanwakkeren en de maag nog meer van streek maken. Er is een sterke aandrang om in bed te blijven en de kater er uit te slapen, en zich ziek te melden op het werk of colleges te missen. Zeer zware drinkers proberen de kater weg te werken door een alcoholisch drankje te nemen – beginnen waar je de vorige dag mee eindigde. Maar dat leidt vaak tot maar weer door drinken.

De dag doorkomen

De uren kruipen voorbij tot lunchtijd, de tijd dat de drinker zich meestal naar een bar of café begeeft. De echte zware drinker zal een van de eersten zijn als de deuren opengaan, en zal vaak een van de laatsten zijn die weer weggaan aan het eind van de lunch. In deze tijd heeft de drinker dan al drie of meer drankjes achter de kiezen, voordat hij aan een onproductieve middag begint.

Een avond naar de film, een toneelstuk of een sportwedstrijd is geen aantrekkelijk vooruitzicht voor een zware drinker, omdat hij dan enkele uren niet zal kunnen drinken. Dit idee is deels geaccepteerd door de maatschappij: vaak staan er bijvoorbeeld grapjes op T-shirts hoe belangrijk het is de drinktijd uit te buiten. Maar de werkelijkheid is anders voor iemand die afhankelijk is van alcohol. De behoefte aan een drankje is een hunkering. Ook sociale aangelegenheden waarbij het normaal is om te drinken, worden een excuus om zwaar te drinken.

In de loop van de avond worden de hoeveelheden die bij de lunch zijn genuttigd verdubbeld of meer, gesprekken worden onsamenhangend en men houdt geen rekening meer met de gevoelens van anderen. Bedtijd is zelden een moment om de dingen van de dag rustig de revue te laten passeren. De zware drinker valt vaak in slaap op de bank en heeft de hulp van een vriend of gezinslid nodig om in bed te komen. De slaap is nauwelijks verfrissend. Als de drinker nog bij zijn positieven is als hij naar bed gaat weet hij dat de cyclus zich de volgende dag weer zal herhalen.

Ontnuchterende feiten

- Uit een onderzoek van het Centraal Bureau voor de Statistiek blijkt dat meer mannen dan vrouwen drinken: 88% van de mannen zegt alcohol te gebruiken, tegen 74% van de vrouwen.
- Uit de cijfers blijkt ook dat hoe hoger iemand is opgeleid, hoe meer kans dat hij drinkt. Van de laagst opgeleiden drinkt 69%, bij de hoogst opgeleiden is dit 89%.

Blootstelling aan alcohol

Alcohol is in de meeste landen alom verkrijgbaar en staat centraal in de structuur van vele samenlevingen. De manieren waarop alcohol – en alcoholmisbruik – het dagelijks leven zijn binnengeslopen zijn gevarieerd en subtiel. Af en toe een beetje 'tipsy' zijn wordt geaccepteerd, in de amusementswereld wordt vaak gebruik gemaakt van de komische dronkaard, en veel studenten en sportfans beschouwen het drinken van alcohol als de poort naar de volwassenheid.

Vrije keus

In veel samenlevingen is veel veranderd sinds de tijd dat de regering directe invloed kon uitoefenen op het dagelijks leven van individuele personen. De meeste experimenten op nationaal niveau om het drinken uit te bannen, zoals de **drooglegging** in Amerika, zijn mislukt. In plaats daarvan draait het moderne leven om persoonlijke keuze en individuele verantwoordelijkheid. Maar regeringen waarschuwen het publiek wel met betrekking tot de gevaren van alcohol in grote landelijke advertentiecampagnes. De keuzevrijheid betekent dat ook de alcoholindustrie vrij is om het gedrag van het publiek te beïnvloeden. Maar al te vaak wordt in reclames in glossy magazines en op televisie het gebruik van alcohol verbonden met succes en geluk.

Pakketten waarmee je zelf bier kunt brouwen of wijn kunt maken zijn een goedkope manier om aan drank te komen. Maar zonder juiste begeleiding kunnen ze het recept zijn voor overmatig drinken – en daarmee het verkeerde signaal uitzenden voor jonge gezinsleden.

Omdat vrijwel niemand twijfelt aan het effect van reclame, zijn er in verschillende landen regels voor de reclame voor alcohol. Zo'n samenstelsel van regels heet een code. In Nederland is in 1990 de *Code voor Alcoholhoudende Dranken* in werking getreden. Deze code is ondertekend door alle organisaties die betrokken zijn bij de productie en distributie van alcoholhoudende dranken. In de code staan afspraken met betrekking tot sponsoring, stuntaanbiedingen, de verkoop aan dronken personen etc. In de Verenigde Staten moet bij de reclame gewezen worden op de gevaren van alcohol.

Marktbewustzijn

De meeste tieners zijn zich bewust welke dranken een krachtige kick geven, welke zoet smaken en makkelijk drinken, en welke de goedkoopste zijn. Jonge mensen zijn zeer goed geïnformeerd over de grote verscheidenheid aan dranken, al wil dat nog niet zeggen dat ze ook de gevaren onderkennen. Er zijn overal alcoholhoudende dranken te koop, van slijterijen tot aan supermarkten met een speciale **vergunning**. Ondanks specifieke wetten over de leeftijd waarop alcohol mag worden gekocht wijzen de statistieken uit dat het voor jongeren erg gemakkelijk is om aan alcohol te komen.

Ook **groepsdwang** speelt een belangrijke rol bij het beginnen met drinken. Het voorbeeld van vrienden die alcohol kopen en drinken – ook al zijn ze er nog te jong voor – is een krachtige impuls om dat gedrag te volgen. De angst om buitengesloten te raken als enige die niet wil drinken kan een zware druk op jongeren leggen.

Blootstelling aan alcohol

De rol van het gezin

Omdat alcohol zo wijdverspreid is en zo diep geworteld in de westerse samenleving, hebben de meeste mensen een belangrijk element uit het oog verloren, namelijk dat alcohol een drug is. Sommige ouders maken zich grote zorgen over de risico's die hun kinderen lopen om blootgesteld te worden aan cocaïne, ecstasy en **hallucinogene** middelen. Velen van hen concentreren zich zo op deze drugs dat ze regelmatig zwaar drinken van hun kinderen negeren of zelfs accepteren. Op die manier schieten ouders ernstig tekort in hun verantwoordelijkheid – de kinderen te waarschuwen tegen de gevaren van zwaar drinken en zelf het voorbeeld van verstandig drinken geven.

Maar in veel gezinnen wordt wel de noodzaak ingezien om kinderen gematigd en verstandig drinken bij te brengen, door ze een voorbeeld te geven en te betrekken bij gematigd gebruik van alcohol Ze proberen op die manier te voorkomen dat hun kinderen stiekem drinken en proberen ze ook te leren maat te houden. Ook deze positieve benadering kan worden verklaard door de moderne 'keuzevrijheid'. Als jongeren leren hun eigen grenzen te verkennen en als het gematigd gebruik van alcohol in gezinsverband, bijvoorbeeld bij etentjes en familiefeestjes, wordt toegestaan, hebben ze het waarschijnlijk niet meer nodig om zich te moeten 'bewijzen' tegenover anderen.

Het buitenland

Ervaringen opgedaan tijdens reizen kan ook helpen bij het opbouwen van een beeld van goed drankgebruik. In veel landen op het vasteland van Europa – zoals Frankrijk, Spanje en Italië – wordt meestal wijn gedronken bij de maaltijd, van eenvoudige picknicks tot aan uitgebreide diners. Soms worden kinderen aangemoedigd een paar slokjes te nemen uit het glas van hun ouders. Op die manier leren kinderen dat alcohol geen **taboe** is, maar dat er geaccepteerde limieten zijn aan hoeveel mensen zouden moeten drinken. We moeten echter niet vergeten dat ook deze landen nog steeds te maken hebben met alcoholisme en probleemdrinkers. Maar over het algemeen wordt van de mensen verwacht dat ze matig drinken, en openbare dronkenschap – ook van jongeren – wordt beslist niet gezien als 'onderdeel van de opvoeding'.

'Mijn ouders vinden het niet erg dat ik drink; ze vinden het in ieder geval beter dan het gebruiken van drugs.'

(Een tiener die aangehaald wordt in *Teenage alcoholism*, van J. Haskins)

Makkelijke verkrijgbaarheid

In het grootste deel van de westerse wereld is alcohol makkelijk verkrijgbaar, ondanks bepaalde regels en limieten aan tijden waarop het verkocht mag worden, leeftijdslimieten en andere beperkende maatregelen. De prijzen van alcoholische dranken variëren enorm, van een paar kwartjes voor een pilsje tot vele honderden guldens voor een exclusieve wijn.

De rol van de overheid

Een van de redenen waarom het verbieden van alcohol impopulair is – behalve dan natuurlijk zaken als het beperken van de persoonlijke vrijheid – is dat alcoholische dranken grote bedragen aan belastingen in de schatkist brengen. Accijnzen en BTW vormen een groot bestanddeel van de prijzen van alcoholhoudende dranken. In 1996 was dit bij wijn 25%, bij bier 31% en bij sterke dranken 70%. In verband met fiscale harmonisatie binnen de Europese Unie zijn er met ingang van 1993 afspraken gemaakt over minimum-accijnstarieven voor bier, wijn en gedistilleerd.

Beïnvloeding van de prijs

De overheid kan in principe de prijs van alcoholhoudende dranken vrij eenvoudig beïnvloeden via de accijnzen. Uit het oogpunt van volksgezondheid is verhoging van de accijns een goede zaak, omdat het gebruik er waarschijnlijk door daalt.
Maar hoe de consument op een prijsverhoging van alcoholhoudende dranken reageert is ook afhankelijk van andere factoren, zoals de koopkracht (inkomen), de reclame en modetrends. Volgens sommige onderzoekers zal een prijsverhoging de consumptie tijdelijk verminderen, volgens anderen zal dat een duurzame daling tot gevolg hebben, met name bij jongeren. Men is het er echter over eens dat een accijnsverhoging op alcoholhoudende dranken altijd tot een lagere consumptie leidt, voor kortere of langere tijd.

Risicogroepen

Hoewel buitensporig drinken en afhankelijkheid van alcohol problemen zijn van de samenleving als geheel, zijn er bepaalde groepen die extra risico lopen bij het gebruik van alcohol. Voorop staan de jongeren, met hun neiging meer dan gemiddeld te drinken. De risico's van drinken op heel jonge leeftijd, met inbegrip van geweld, ernstige verwondingen en soms zelfs dodelijke ongevallen, zijn welbekend. In deze groepen is het echte 'zuipen' gebruik, wat kan leiden tot onmiddellijke neveneffecten en een toenemende alcoholtolerantie.

Vroege schade

Onderzoek naar het effect van alcohol op de hersenen staat nog in de kinderschoenen. Wetenschappers weten dat de hersenen zich blijven ontwikkelen totdat iemand ongeveer twintig jaar is, en het gebied dat verantwoordelijk is voor het maken van de juiste schattingen is een van de laatste die tot rijping komt. Herhaald zwaar drinken, met het gevaar afhankelijk te worden van alcohol, brengt waarschijnlijk onherstelbare schade toe aan de cellen in dit deel van de hersenen.

Jaren geleden hield de smaak van bier en sterke dranken – die van nature niet aantrekkelijk zijn voor jongeren, die meer gewend zijn aan zoete frisdranken – de consumptie van alcohol onder jongeren laag. Maar nieuwe producten, zoals de populaire shooters en alcopops, hebben grote aantrekkingskracht op jongeren omdat de smaak meer lijkt op die van frisdranken. Het is erg makkelijk om buitensporig veel van deze drankjes te drinken, en zo de kiem te leggen voor latere afhankelijkheid van alcohol.

Jonge mannen hebben te maken met nog een ander probleem. Uit studies waarin de zonen van alcoholische vaders vergeleken werden met die van niet-alcoholische vaders, blijkt de eerste groep de plezierige effecten van alcohol sterker te ervaren – en de verwoestende effecten minder sterk – dan de tweede groep. Omdat de negatieve neveneffecten van zwaar drinken bij die eerste groep minder zwaar wegen, lopen zij meer risico om net als hun vader verslaafd te worden.

Risico's voor vrouwen

Vrouwen van alle leeftijden ervaren andere effecten van alcohol dan mannen. Omdat ze over het algemeen kleiner zijn dan mannen voelen ze de effecten van een bepaalde hoeveelheid alcohol eerder. Ze lopen ook een grotere kans op fysieke schade aan de lever en alvleesklier met relatief kleinere hoeveelheden alcohol, terwijl ook de kans op hoge bloeddruk groter is.

Ontnuchterende feiten

- Ongeveer 40 procent van alle geweldsmisdrijven wordt gepleegd onder invloed van alcohol.
- Jongeren van 18 tot 24 jaar hebben de hoogste alcoholconsumptie.
- Zelfs een kleine hoeveelheid alcohol gedronken door zwangere vrouwen kan leiden tot kinderen met een laag geboortegewicht.
- Mannen die meer dan drie drankjes per dag drinken hebben meer kans op verminderde vruchtbaarheid en zelfs op onvruchtbaarheid.

De alcoholindustrie

Het is niet verrassend dat alcohol big business is. Alcoholhoudende dranken genereren grote sommen geld in de vorm van winsten (voor zowel producenten van alcoholische dranken als distributeurs, groothandels en de verkooppunten) en in de vorm van belastinginkomsten voor de regering. Hoewel de alcoholconsumptie over het geheel genomen niet langer toeneemt – en in de afgelopen jaren zelfs iets is teruggelopen – is de industrie veel verfijnder geworden, evenals over het algemeen het publiek.

Trends

Het is moeilijk te zeggen in hoeverre de alcoholindustrie maatschappelijke trends met betrekking tot drinken volgt – en in hoeverre dat leidt tot meer adverteren. De verkoop van wijnen is hier een goed voorbeeld van. In de jaren na de **Tweede Wereldoorlog**, en ook nog tot aan het eind van de jaren 60 van de 20ste eeuw, was wijn een drank die verre in de minderheid was in Amerika, Groot-Brittannië en veel landen in West-Europa. De gegoede stand dronk regelmatig wijn bij het eten, anderen alleen bij huwelijken en andere speciale gelegenheden.

Grote bierbrouwerijen hebben hun naam jarenlang verbonden aan grote sportevenementen, zoals voetbal.

In de jaren 70 van de 20ste eeuw kwam hierin verandering omdat het gemiddelde inkomen steeg (waardoor wijn beter bereikbaar werd) en mensen vaker op vakantie gingen naar het buitenland, waar ze in aanraking kwamen met het drinken van wijn. Maar ook toen was het nog ongewoon dat er wijn in de schappen van de supermarkt stond.

Nu is wijn in de meeste westerse landen de belangrijkste drank. Er zijn allerlei proeverijen en in tijdschriften wordt veel informatie gegeven over wijnen en hoe ze te bewaren. De keus aan wijnen is enorm, en er wordt in tijdschriften en in televisieprogramma's op allerlei manieren voorlichting gegeven over welke wijnen bij welke gerechten het best tot hun recht komen, prijs-kwaliteit verhouding enzovoort.

Nichemarketing

Wijn is niet de enige drank die in veel grotere verscheidenheid wordt geproduceerd als in voorbije jaren. De alcoholindustrie is zich er van bewust dat verschillende segmenten van de bevolking de voorkeur geven aan verschillende soorten drankjes. De verkoop van een reeks gelijkwaardige producten met enkele kleine variaties wordt 'nichemarketing' genoemd. Er zijn bijvoorbeeld wodka's te koop die gemaakt zijn van verschillende soorten granen en smaakstoffen, soorten rum van verschillende kleuren en sterkte, kant en klaar gemixte cocktails, en variaties met een laag alcoholgehalte van bekende dranken. Bier, dat in de Verenigde Staten en ook elders bijna tweederde van de alcoholverkopen uitmaakt, is er in een grote verscheidenheid aan variëteiten, waaronder pils, bokbier, trappistenbier, alcoholvrij bier en bier met een laag alcoholgehalte. Er zijn in veel grote steden zelfs speciale winkels die alleen bieren verkopen.

Door de strategie van nichemarketing zijn de drankproducenten de jongere markt als doelgroep gaan zien. **Alcopops** zijn het duidelijkste voorbeeld van deze trend, er zijn maar weinig mensen van boven de twintig in geïnteresseerd. Extra sterke biersoorten, die toch bedoeld zijn voor een groot publiek, worden geadverteerd in films die voornamelijk een jonger publiek trekken.

Verantwoorde marketing?

Hoewel ze grote winsten kunnen behalen met de verkoop van alcoholhoudende dranken, moet de alcoholindustrie ook inspelen op veranderingen in de markt. Het gewone publiek is tegenwoordig beter geïnformeerd over de gevaren van alcohol, de risico's die jongeren lopen en de gevolgen van het rijden onder invloed. In Australië en het Verenigd Koninkrijk werd een krachtig protest gehoord tegen de introductie van **alcopops** – van ouders, leraren en van groeperingen tegen drankmisbruik. Als gevolg daarvan moest de alcoholindustrie de reclame voor deze producten aanpassen.

De combinatie drinken en deelnemen aan het verkeer is een hoofdstuk apart. Vanwege de heftige publieke reacties op de toename van ongelukken in het verkeer als gevolg van alcoholmisbruik, heeft de alcoholindustrie geprobeerd mensen ervan te overtuigen dat rijden na drinken niet verantwoord is. In de jaren 70 van de 20ste eeuw introduceerde Seagrams Corporation, een grote Canadese **distilleerder**, een plan om de reiskosten van openbaar vervoer in Montreal te betalen op de oudejaarsavond. In de Verenigde Staten werken veel bars en clubs met een 'chauffeursafspraak'. Een persoon in een groep, die de anderen naar huis rijdt, komt overeen de hele avond niet te drinken. Hij krijgt van de barkeeper een badge en kan de hele avond vrij frisdranken drinken. Soms krijgt hij of zij ook fikse kortingen op snacks.

'We richten onze reclame niet op jonge mensen. Punt uit.'

(Stephen Lambright, vice-president Anheuser-Busch, de makers van Budweiser)

Pressiegroepen

In westerse landen is het een algemeen verschijnsel dat mensen groepen vormen om invloed uit te oefenen op leden van het parlement. Dergelijke groeperingen worden **pressiegroepen** genoemd. Bedrijven die betrokken zijn bij de productie van alcoholhoudende dranken proberen de wetgevers te beïnvloeden door te vragen om minder restricties op de distributie, lagere belasting op alcohol enzovoort. Daar lijnrecht tegenover staan de zogenaamde pressiegroepen, die juist meer controle over de distributie op alcohol eisen, zoals bijvoorbeeld de groep MADD (Mothers Against Drunk Driving) in de Verenigde Staten.

Volgens velen proberen alcopops jongeren te verleiden met hun kleurige labels en de zoete smaak van de drankjes zelf.

De 'andere' alcoholindustrie

Onze wijdverbreide dorst naar alcohol heeft geleid tot een hausse in een andere industrie – de medische. Hoewel artsen, verpleegkundigen en andere medische hulpverleners dat nu niet bepaald toejuichen, verschaft de alcohol veel extra werk in operatiekamers, op ziekenzalen en op intensive-care afdelingen. Veel gevallen die daar terecht komen zijn direct terug te leiden op alcohol, bijvoorbeeld alcoholvergiftiging door te veel drinken, en het afschuwelijke aantal gewonden en doden door ongelukken na rijden onder invloed.

Minder bekend is dat alcohol een hele reeks andere verwondingen en misdaden schraagt, die op het eerste gezicht niets met drinken te maken hebben. In Engeland wordt geschat dat alcohol een factor speelt bij:

- 30 procent van de verdrinkingen
- 33 procent van de ongelukken in huis
- 45 procent van de verwondingen en aanrandingen
- minstens 39 procent van de doden door brand.

Vergelijkbare statistieken zijn van toepassing in de VS, waar elke 30 minuten iemand sterft bij een ongeluk waarbij alcohol in het spel is.

De medische kosten van alcohol

Al deze ongelukken kosten geld – enorme bedragen. De National Health Service in Groot-Brittannië geeft jaarlijks meer dan 160 miljoen pond uit aan de behandeling van aan alcohol gerelateerde ziektes. In de Verenigde Staten schat men dat twintig procent van de ziekenhuiskosten en acht procent van de totale kosten van de gezondheidszorg zijn gerelateerd aan alcoholgebruik. In Nederland geeft de overheid jaarlijks zo'n 271 miljoen gulden uit aan hulpverlening en zorg voor verslaafden.

Er zijn nog meer effecten op de economie, ook al zijn die min of meer verborgen. In Nederland is 13% van alle ziekmeldingen in het bedrijfsleven het gevolg van te veel drinken.

Ontnuchterende feiten

- Jaarlijks sterven in Groot-Brittannië 25.000 tot 28.000 mensen aan aan alcohol gerelateerde ziekten; dit is 50 maal het jaarlijkse aantallen sterfgevallen gerelateerd aan illegale drugs.
- In de Verenigde Staten staat ongeveer één dollar aan maatschappelijke kosten tegenover elke dollar die uitgegeven wordt aan alcoholische dranken.

Jonge feestvierders zijn uit op pret maken, maar hun capriolen kunnen gevaarlijk zijn en een bedreiging vormen voor de openbare veiligheid.

De wet

De Drank- en Horecawet is een van de belangrijkste instrumenten van het alcoholmatigingsbeleid. In deze wet wordt het tappen van alcoholhoudende drank en slijten van gedistilleerd geregeld. Zonder vergunning van burgemeester en wethouders is het verboden te tappen of te slijten. Voor zo'n vergunning moet aan allerlei eisen worden voldaan. De Drank- en Horecawet geeft gemeenten ook de ruimte om plaatselijk verdergaande beperkingen in te voeren.

De wegenverkeerswet

In de Wegenverkeerswet wordt gesteld dat rijden onder invloed strafbaar is. Het tweede lid van artikel 8 van deze wet luidt:

'Het is een ieder verboden een voertuig te besturen of als bestuurder te doen besturen na zodanig gebruik van alcoholhoudende drank dat:

a. het alcoholgehalte van zijn adem bij een onderzoek hoger blijkt te zijn dan tweehonderdtwintig microgram alcohol per liter uitgeademde lucht, dan wel
b. het alcoholgehalte van zijn bloed bij een onderzoek hoger blijkt te zijn dan een halve milligram alcohol per milliliter bloed.

BAG en AAG

Van rijden onder invloed is elk geval sprake als een bestuurder een bloedalcoholgehalte (BAG) van 0,5 promille of een ademalcoholgehalte (AAG) van 220 microgram of hoger blijkt te hebben. Artikel 8 spreekt overigens ook van een 'voertuig' en niet van 'motorvoertuig', waaruit volgt dat bijvoorbeeld fietsen onder invloed ook een misdrijf is. En wie onder invloed rijdt, maakt zich schuldig aan een misdrijf en krijgt dus bij een veroordeling een strafblad.

Maximaal toegestane alcoholpromillage

Het maximaal toegestane alcoholpromillage verschilt per land. Hieronder een aantal landen met daarachter de toegestane hoeveelheid alcohol in mg per 100 ml bloed.

Japan, Rusland	0
Zweden, Polen	20
Portugal	40
Frankrijk, Australië, België, Nederland, Griekenland, Finland, Duitsland	50
Groot-Brittannië, Oostenrijk, Canada, Zwitserland	80
Verenigde Staten van Amerika	80-100

Invloed op het dagelijks leven

Gedurende langere tijd zwaar drinken veroorzaakt een reeks van ernstige neveneffecten, zowel voor de drinker zelf als voor zijn of haar gezin. Het is een probleem dat voorbij de grenzen van geslacht, welstand of maatschappelijke status gaat. De fysieke risico's zijn welbekend, en een Britse **farmaceutische** groep heeft geconcludeerd dat een persoon die langere tijd zwaar drinkt de kans loopt vijftien jaar eerder te sterven dan het verwachte gemiddelde. De voornaamste oorzaken van een vroegtijdige dood zijn hartziekten, kanker, ongelukken en zelfmoord. Bovendien lijden veel zware drinkers aan een depressie.

Waarom doen ze het?

Er zijn waarschijnlijk net zoveel antwoorden op deze vraag als er zware drinkers zijn. Hoewel generalisaties dikwijls niet erg accuraat zijn, kan over het algemeen gesteld worden dat mensen met veel verantwoordelijkheid, of die erg lange dagen maken, hoog scoren op de ranglijst van probleemdrinkers. Tot deze groep behoren vaak mensen die in de publieke belangstelling staan, zoals acteurs, politici en atleten.

Verschillende van deze zware drinkers hebben hun roem aangewend om in de openbaarheid blijk te geven van hun strijd tegen de alcohol. Betty Ford, de vrouw van de voormalige president van de Verenigde Staten Gerald Ford, gaf in de jaren 70 van de 20ste eeuw toe dat ze verslaafd was aan alcohol. Zij is behulpzaam geweest bij het opzetten van de Betty Ford **Ontwenningsklinieken**, waar mensen geholpen worden van hun verslaving aan alcohol en drugs af te komen.

Sport en drank

Ondanks het feit dat over het algemeen wordt aangenomen dat topsporters vanwege hun sport niet drinken, heeft een aantal sporters toegegeven verslaafd te zijn aan alcohol en stappen te hebben ondernomen om van de verslaving af te komen. De voetballer Tony Adams, verdediger bij Arsenal, gaf in 1996 toe een drankprobleem te hebben en is sindsdien een belangrijke woordvoerder bij het bewust maken van het publiek. Paul Merson, die nu bij Aston Villa speelt, had in 1995 een soortgelijke ervaring. In oktober 1998 brak hij in tranen uit toen hij verhalen over de alcoholproblemen van Paul Gascoigne vergeleek met zijn eigen ervaringen met verslaving. Zijn commentaar betreffende Gascoigne was simpel: 'Als hij stopt met drinken en geneest, is er niemand in de Engelse ploeg die aan hem kan tippen – zelfs David Beckham niet'. Het is dat hoopvolle vooruitzicht dat verslaafden helpt om hun leven weer in eigen hand te nemen.

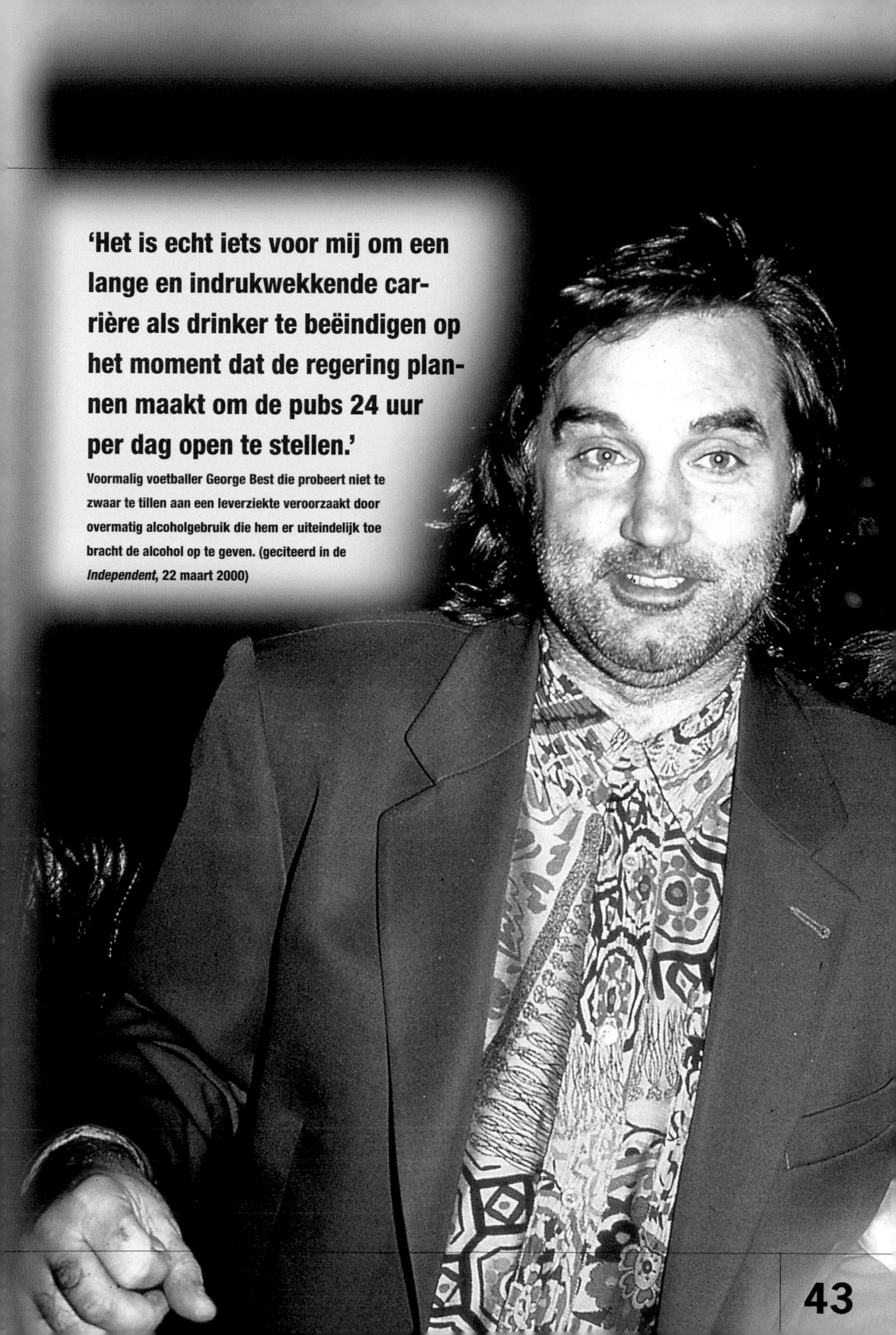

'Het is echt iets voor mij om een lange en indrukwekkende carrière als drinker te beëindigen op het moment dat de regering plannen maakt om de pubs 24 uur per dag open te stellen.'

Voormalig voetballer George Best die probeert niet te zwaar te tillen aan een leverziekte veroorzaakt door overmatig alcoholgebruik die hem er uiteindelijk toe bracht de alcohol op te geven. (geciteerd in de *Independent*, 22 maart 2000)

Het verhaal van een ex-drinker

Philip (niet zijn echte naam) is journalist. Toen hij midden twintig was dronk hij lange tijd behoorlijk zwaar, maar hij kwam er achter dat de drank zijn leven ging beheersen.

'Ik werkte bij een tijdschrift waar het altijd hectisch was – laatste nieuws dat moest worden verwerkt, exclusieve verhalen en al die andere opwindende zaken waarop ik had gehoopt toen ik journalist werd. We werkten vaak tot laat in de avond door om de deadline te kunnen halen, wat betekende dat we een vrij onregelmatig leven leidden.'

Het beslissende moment

'Ik kwam er al snel achter dat de kroeg de beste plaats was om er achter te komen wat er achter de schermen gebeurde. Beetje bij beetje ging ik meer drinken – van een of twee pilsjes in het begin tot later vier of meer. Ik schaamde me er wel een beetje voor, dus verzon ik een smoes om de anderen niet te vergezellen en ging naar een andere kroeg waar ik m'n eentje dronk. Na zo'n drinkgelag ging ik weer aan het werk en gedroeg me soms grof, wat buitengewoon ongepast was. Mijn uitgever was vriendelijk, maar hij vertelde me dat er mensen waren die zich zorgen maakten over mijn drinken. Hoe graag hij me ook mocht, ik kreeg een waarschuwing en kon vertrekken als ik mijn gedrag niet veranderde.

Daar ben ik enorm van geschrokken. Ik vertelde mijn vrouw over het voorval, en zij stelde voor dat ik een psycholoog zou raadplegen. De psycholoog, die niet echt gespecialiseerd was in alcoholverslaving, was geweldig. Uiteindelijk bleek dat de spanningen en de opwinding die bij mijn werk hoorden – wat ik in het begin zo stimulerend had gevonden – me depressief maakten. Ik ging drinken om dat probleem en enkele andere persoonlijke problemen te ontlopen.'

Een kwestie van wilskracht

'Niemand dwong me om iets te doen, maar ik beloofde mijn vrouw te stoppen met drinken. Het was ook een test voor mezelf, om te kijken of ik genoeg wilskracht had. Ik vond het in het begin heel erg moeilijk, maar veel vrienden stimuleerden me en accepteerden het dat ik niet dronk en probeerden me niet over te halen. Ik kreeg een heel andere kijk op mijn leven, vond een baan die minder spanning met zich meebracht en begon me langzaam weer de oude te voelen. Dit alles is nu een paar jaar geleden, heel af en toe drink ik een glas wijn, maar ik heb mijn besluit om met de rest te stoppen nooit betreurd.'

Behandeling en voorlichting

De afgelopen jaren is er grote vooruitgang geboekt bij de behandeling van mensen die afhankelijk zijn van alcohol. Omdat de samenleving het belang heeft ingezien om het probleem te onderkennen – en alcoholisme in toenemende mate als een ziekte beschouwt – zijn er nieuwe behandelingsmethoden ontwikkeld. Omdat er verschillende alternatieven zijn kan elke drinker de benadering kiezen die het best bij hem of haar past, maar de eerste stap moet de drinker zelf zetten.

Het probleem onderkennen

Iemand kan op verschillende manieren geconfronteerd worden met zijn of haar drankprobleem. De meest dramatische is natuurlijk als ze geconfronteerd worden met een onmiddellijk fysiek effect van alcohol, zoals een alcoholvergiftiging, of een rijverbod na een ademtest. Anderen krijgen het wellicht te horen van familie of vrienden. Weer anderen trekken zelf de conclusie zonder invloed van buitenaf. Het is heel moeilijk om het je zelf toe te geven, vooral omdat er zoveel druk van buitenaf is om door te gaan met drinken.

Sommige probleemdrinkers voelen zich aangevallen en ontkennen dat er een echt probleem is. Dan kan het handig zijn als ze een vragenlijst krijgen voorgelegd. Huisartsen werken soms met dergelijke vragenlijsten om het probleem boven tafel te krijgen.
Een effectieve zelftest zijn de volgende vragen:

- Heb je ooit gedacht dat je eens wat minder zou moeten drinken?
- Heb je je wel eens geërgerd aan iemand die commentaar had op je drinkgedrag?
- Heb je je wel eens schuldig gevoeld over je drinkgedrag?
- Heb je wel eens 's morgens vroeg al behoefte gevoeld aan een drankje?

Als iemand twee of meer vragen beantwoordt met 'ja' is er een grote kans dat hij of zij een probleem heeft met alcohol. De volgende stap is onder ogen te zien dat er iets aan het probleem moet worden gedaan, door inlichtingen in te winnen over hoe het drinkgedrag kan worden veranderd. De beste eerste stap in dit proces is stoppen met drinken, ook al is het doel niet levenslange **onthouding**. Dit is een heel zware beslissing, en veel mensen hebben de steun van anderen nodig om hen door deze overgangsperiode heen te helpen. Als eenmaal bekend is wat de mogelijkheden zijn kan iemand de voor hem of haar beste behandeling kiezen – in een organisatie als de Anonieme Alcoholisten – of een meer persoonlijke aanpak.

Behandeling en voorlichting

Interview met een hulpverlener

Nick Corrigan is jeugdhulpverlener bij een bureau voor hulpverlening aan verslaafden aan alcohol en drugs in Bristol, in Engeland. Hij heeft gemerkt dat er een toename is in het aantal jongeren dat naar het bureau komt voor een behandeling, grotendeels gebaseerd op wat hij noemt de 'wijdverspreide acceptatie van de drankcultuur'. Hij is minder bezorgd over de wijdverbreide zorg om de zogenaamde alcopops – die volgens hem veel minder populair zijn dan mensen denken – en veel meer bezorgd over de drinkpatronen van jongeren.

'Jongere drinkers zijn vaker betrokken bij zuippartijen, wat echt een manier is om problemen in je latere leven op te bouwen. Deze boodschap proberen we over te brengen tijdens workshops en seminars.

‘Het systeem van eenheden, dat als richtlijn geldt voor volwassenen, is niet echt toegesneden op jongeren, omdat hun kleinere en minder ontwikkelde lichaam de alcohol makkelijker opneemt. Er is ook een probleem met sommige etnische minderheidsgroeperingen, waar alcohol verboden is. Sommige gezinnen ontkennen dat jongeren drinken, laat staan dat het probleemdrinken betreft.’

Er komen soms al heel jonge kinderen naar het bureau, soms al op elfjarige leeftijd. De organisatie werkt samen met scholen en jongerenorganisaties waar ze workshops geven, met vraag-en-antwoord sessies die worden uitgevoerd door vrijwilligers. ‘Bristol is niet anders dan andere plaatsen als het om drinken onder jongeren gaat, maar het is hier net als overal elders het belangrijkste dat de boodschap overkomt.’

Een andere houding aannemen

Sommigen kijken neer op een dakloze, die uitgeteld op straat ligt met naast zich een lege fles, en voelen zich daar ver boven verheven. Deze houding, die voortkomt uit de gedachte ‘eigen schuld’ gaat voorbij aan het feit dat alcoholisme een ziekte is. Weliswaar voortgekomen uit persoonlijke keuze – de beslissing om het eerste drankje te nemen – maar door het gewenningsproces gaat men meer drinken en wordt de beslissing om te stoppen steeds moeilijker. Door een beter begrip van deze ziekte zullen mensen zich realiseren dat de persoon in kwestie hulp nodig heeft in plaats van hem of haar te veroordelen.

Ontnuchterende feiten

- Naar schatting 3% van de totale sterfte aan kanker in Nederland moet aan overmatig alcoholgebruik worden toegeschreven.
- Ongeveer 15% van de alcoholverslaafden ontwikkelt lever**cirrose**, een ziekte die geleidelijk ontstaat, niet te genezen is en levensbedreigend is.

Iemand om mee te praten

Er zijn maar weinig drugs die mensen uit zichzelf gaan gebruiken, en op hun eentje. Meestal worden mensen 'high' of 'tipsy' in het gezelschap van anderen. Jongeren vormen daarop geen uitzondering, en alcohol evenmin. Hoewel alcohol op veel verschillende manieren en plaatsen wordt genuttigd, ook wel in eenzaamheid, drinken de meeste jongeren in een groep. Veel jongeren worden door anderen overgehaald om te gaan drinken door verhalen over hoe het is om eens dronken te zijn geweest en hoe 'cool' het is om het mee te maken. Deze groepsdwang is niet erg behulpzaam, maar het is een sterke en overtuigende macht.

Andere stemmen

Er zijn mensen die alcohol in een ander perspectief kunnen plaatsen, ofwel door eigen drinkervaringen of door te wijzen op de duidelijke gevaren van alcohol. Je kunt je daarvoor het beste richten tot ouders of oudere gezinsleden. Maar de tienertijd is vaak een periode waarin jongeren het gevoel hebben dat ze niet zoveel gemeen hebben met hun ouders. Ook sympathieke leraren en anderen kunnen voor hun gevoel te dicht bij zijn.

Gelukkig zijn er allerlei instanties tot wie jongeren zich kunnen wenden om meer te weten te komen over alcohol en de gevaren ervan. Belangrijk om te noemen is in dit verband het project Alcohol Voorlichting en Preventie (AVP) van het Nationaal Instituut voor Gezondheidsbevordering en Ziektepreventie (NIGZ).De doelstelling van de AVP is:

- mensen meer kennis bijbrengen over de werking van alcohol
- de mensen bewuster maken van de nadelige gevolgen van overmatig drinken
- de mensen motiveren tot matiging, dus minder vaak en minder per keer drinken. Ook is er een speciale Alcohol Infolijn.

Het telefoonnummer van de Alcohol Infolijn en andere belangrijke adressen en telefoonnummers vind je op pagina 54.

WHO
ME?

Register

Verklarende woordenlijst

ademtest Een apparaat dat de hoeveelheid alcohol in iemands uitgeademde lucht meet.

afhankelijkheid De psychische of lichamelijke hunkering naar iets.

alcoholisme Een ziekte voortkomend uit afhankelijkheid van alcohol.

alcopops Alcoholische drankjes die zo zoet als frisdranken smaken.

BAG Bloed Alcohol Gehalte, het percentage alcohol gemeten in het bloed.

beneveld De staat waarin men de fysieke en mentale controle verliest na drinken.

brouwen Het produceren van alcoholische dranken als bier door gist en suiker in een vloeistof om te zetten in alcohol.

cirrose Een ziekte van de lever waarbij de werkzame levercellen vernietigd worden en bindweefsel de plaats van afgestorven cellen inneemt.

distillatie De productie van alcohol door een chemisch proces met verdamping en vervolgens condensatie van alcohol.

Drooglegging Het verbod op alcohol in de Verenigde Staten van Amerika na de Eerste Wereldoorlog.

ethanol Pure alcohol.

farmaceutisch Het medisch gebruik van chemische wetenschap.

fermentatie of gisting De natuurlijke verandering van suiker in alcohol in bijvoorbeeld vruchtendranken.

genetisch Een karakteristiek of ziekte die is geërfd van een ouder.

groepsdwang De druk van vrienden van dezelfde leeftijd om op eenzelfde manier te handelen of zich te gedragen ('er bij willen horen').

hallucinaties Beelden die mensen denken te zien, maar die er niet werkelijk zijn.

hallucinogeen Stoffen die veroorzaken dat iemand dingen ziet of hoort die er niet zijn.

Industriële Revolutie De periode van snelle industriële ontwikkeling in de 18de en 19de eeuw.

kater Het misselijke gevoel 's morgens, dikwijls gepaard gaand met hoofdpijn, na een avond zwaar drinken.

nichemarketing Het leveren van specifieke producten aan specifieke afnemersgroepen.

onthouding.Iets helemaal laten staan, bijvoorbeeld alcohol.

ontwenningsklinieken Klinieken waar mensen geholpen worden van hun verslaving af te komen en terug te keren naar een evenwichtige en gezonde manier van leven.

ontwenningsverschijnselen Negatieve psychische en fysieke effecten na het opgeven van iets, bijvoorbeeld alcohol.

pressiegroep Een organisatie die samenwerkt om wetgeving te veranderen of te beïnvloeden.

productiviteit De efficiëntie van een bedrijf of persoon.

remmingen Een gevoel dat iemand ervan weerhoudt zijn of haar gevoelens te uiten.

Renaissance De periode in Europa van het eind van de 15de tot het midden van de 16de eeuw toen kunst en wetenschap bloeiden.

sterk Met een krachtig effect.

taboe Iets dat in een bepaalde samenleving verboden is of niet getolereerd wordt.

tolerantie De manier waarop het lichaam leert meer van een stof, bijvoorbeeld alcohol, aan te nemen of te verwachten.

Tweede Wereldoorlog De oorlog (1939-1945) tussen Duitsland, Italië en Japan en hun bondgenoten tegen Groot-Brittannië, Frankrijk, de Sovjet-Unie en de Verenigde Staten en hun bondgenoten.

wijngaarden Plantages met druivenstokken waar druiven voor het maken van wijn worden verbouwd.

Inlichtingen en advies

Natuurlijk zijn er in de bibliotheek nog andere boeken te vinden over alcohol en verslaving. Maar voor meer informatie kun je je ook wenden tot de onderstaande organisaties:

NEDERLAND

Nationaal Instituut voor Gezondheidsvoorlichting en Ziektepreventie
project Alcohol Voorlichting en Preventie
Postbus 500
3440 AM Woerden

Alcohol Infolijn
✆ 0900-500 20 21

Anonieme Alcoholisten (AA)
Postbus 2633
3000 CP Rotterdam
De AA is een zelfhulporganisatie van en voor alcoholverslaafden.

Algemene Nederlandse Drankbestrijders Organisatie (ANDO)
Cornelis Houtmanstraat 21
3572 LT Utrecht
De ANDO is een organisatie die strijdt voor een kritische houding ten opzichte van alcoholgebruik.

Trimbos Instituut
Postbus 725
3500 AS Utrecht
Een landelijk instituut dat zich onder meer bezig houdt met de informatievoorziening over alcohol, drugs en gokken.

BELGIË

Anonieme Alcoholisten
Grote Steenweg 149
2600 Berchem
✆ (03) 239 14 15

In Petto
(Jongeren informatie- en adviescentrum)
Diksmuidelaan 50
2600 Berchem
✆ (03) 366 15 20

Kinder- en Jongerentelefoon
✆ (078) 15 14 13